Schulausgabe

Sarah L.

Zu diesem Titel sind
Ravensburger Materialien zur Unterrichtspraxis
erhältlich.

Nähere Informationen finden Sie
am Ende des Buches.

3. Lesestufe

Fabian Lenk

Der Meisterdieb
Ein Krimi aus dem Mittelalter

Mit Bildern von Daniel Sohr

Ravensburger Buchverlag

Bibliografische Information der Deutschen Nationalbibliothek:

Die Deutsche Nationalbibliothek verzeichnet diese Publikation
in der Deutschen Nationalbibliografie.
Detaillierte bibliografische Daten sind im Internet
über **http://dnb.d-nb.de** abrufbar.

7 8   12 11 10

Ravensburger Leserabe
© 2006 für die Originalausgabe und © 2007 für die Schulausgabe
Ravensburger Buchverlag Otto Maier GmbH
Umschlagbild: Daniel Sohr
Umschlagkonzeption: Sabine Reddig
Redaktion: Marion Diwyak
Printed in Germany
ISBN 978-3-473-38063-3

www.ravensburger.de
www.leserabe.de

Inhalt

Der Überfall

„Er hat wieder zugeschlagen!", ruft
Hartwin, der Goldschmied, schon in der
Tür. Er rumpelt in die Stube des kleinen
Fachwerkhauses. Unten liegt die
Werkstatt, darüber die Wohnung der
Familie.
Johanna sieht ihren Vater an. „Wer?",
fragt die Elfjährige.
Hartwins Augen werden groß. „Das fragst
du noch? Der Meisterdieb natürlich!"

Der Meisterdieb! Seit einem Jahr stiehlt er immer wieder teuren Schmuck und andere wertvolle Dinge aus der Nürnberger Burg. Und niemand kann den Meisterdieb schnappen.

Johannas Mutter Marie schaut aus der Küche. „Was ist passiert, Hartwin?"

„Der Meisterdieb", sagt Hartwin noch einmal. „Diesmal hat er einen silbernen Kerzenständer gestohlen! Aus den Gemächern, die Kaiser Barbarossa vorbehalten sind – wenn er mal in Nürnberg ist. Es stand sogar eine Wache vor dem Raum. Unglaublich!"

Johanna nickt. Der Meisterdieb ist inzwischen richtig berühmt in Nürnberg. Heute Morgen war Johanna mit ihrer Mutter auf dem Markt. Und da hat sie gehört, wie die Leute tuscheln – über den Meisterdieb und über die Wachen, die ihn nicht fassen können. Denn dieser Dieb hinterlässt keine Spuren. Er ist gefährlich und unheimlich gerissen. Er ist eben der Meisterdieb.

Hartwin lässt sich auf einen Stuhl plumpsen. „Heute Abend wird Kaiser Barbarossa auf der Burg erwartet. Hoffentlich schlägt der Meisterdieb nicht gerade dann wieder zu. Das wäre fürchterlich peinlich!"

Johannas Mutter bringt Hartwin einen Krug Bier.

„Ich muss nachher auch noch mal zur Burg", murmelt Hartwin. „Ich will dem Kaiser meine Aufwartung machen."

Zum Kaiser? Da will Johanna dabei sein! So gerne würde sie den Kaiser mal ganz aus der Nähe sehen. Er soll einen langen roten Bart haben.

Johanna setzt sich zu ihrem Vater.

„Möchtest du dem Kaiser deine schönen Ringe und Broschen zeigen?"

Hartwin nickt. „Ich hoffe, dass ihm meine Arbeiten gefallen. Vielleicht gibt er mir einen Auftrag."

Leise seufzt Johanna. Das wäre zu schön, um wahr zu sein. Ihr Vater ist zwar ein großartiger Goldschmied, aber kein guter Geschäftsmann. Er verdient nicht viel mit seiner Arbeit.

„Darf ich mit zum Kaiser?", fragt Johanna.

Hartwin setzt den Krug ab. „Du? Nein, du gehörst jetzt ins Bett!"

„Ich will aber mit!", ruft Johanna trotzig. Sie wirft ihrem Vater einen langen, bittenden Blick zu. Johanna weiß genau, dass ihr Vater ihr nie einen Wunsch abschlagen kann. Und auch diesmal klappt es!

„Na gut", meint Hartwin. „Aber zieh dein bestes Gewand an!"

Kurz darauf laufen Johanna und Hartwin durch die schmalen Nürnberger Gassen. Ein Spätsommertag des Jahres 1180 neigt sich dem Ende zu. Johanna und Hartwin überqueren den Fluss Pegnitz. Nun führt der Weg bergauf. Und schon tauchen die gewaltigen Mauern der Burg mit den beiden Türmen, dem Sinwell- und dem Heidenturm, auf.

Am Tor versperrt ihnen ein Wachsoldat den Weg. Hartwin erklärt, was er in der Burg will.

„Der Kaiser ist gerade mit einigen Adligen im Rittersaal", sagt die Wache. „Aber ihr könnt durchgehen. Wartet vor den Gemächern des Kaisers. Vielleicht empfängt euch der Kaiser. Aber da müsstet ihr schon sehr viel Glück haben."

Johanna ballt die Fäuste und wünscht sich mit aller Kraft zum Kaiser vorgelassen zu werden. Doch vielleicht hat er auch gar keine Zeit. Womöglich schickt er sie einfach wieder nach Hause. Ohne Auftrag, ohne Hoffnung auf bessere Zeiten.

Nein, beschließt Johanna. Das darf nicht passieren.

Johanna und Hartwin überqueren den inneren Burghof und laufen auf den Palas

mit den kaiserlichen Gemächern zu. In
der Nähe liegen auch die Kemenaten, in
denen die Burgfräulein wohnen. Johanna
seufzt. Die Burgfräulein führen bestimmt
ein herrliches Leben – ohne Geldsorgen.

Doch da kommt Johanna ein anderer
Gedanke. Ist etwa auch der Meisterdieb in
der Burg? Versteckt er sich hier irgendwo?
Johanna wirft einen Blick auf den
Lederbeutel am Gürtel ihres Vaters. Im
Beutel sind Ringe und Broschen, die ihr
Vater angefertigt hat. Diese sind sicher

auch für einen Dieb interessant! Johanna nimmt sich vor, höllisch gut aufzupassen.

Sie erreichen den Palas. Die Wache lässt sie passieren und meint: „Geht rauf in den ersten Stock zum Kaisersaal und wartet dort."

Johanna und ihr Vater laufen am Rittersaal vorbei in den ersten Stock. Dort gelangen sie in einen Gang, der von Fackeln erhellt wird. Plötzlich hält Johanna inne. Was war das? Es klang wie ein Schrei! Ihr Puls beschleunigt sich. „Hast du das auch gehört?", fragt sie ihren Vater besorgt.

„Was denn? Lass uns weitergehen", meint Hartwin ungeduldig.

„Psst!", macht Johanna. Doch da ist nichts. Alles scheint friedlich.

„Nun komm schon!", mahnt Hartwin. „Was soll denn der Kaiser denken, wenn du ein solches Theater veranstaltest?"

Johanna kommt sich ein bisschen blöd vor. Offenbar sieht sie schon Gespenster.

Als Vater und Tochter das Ende des Ganges erreichen und um die Ecke biegen, fährt Johanna entsetzt zurück.

Vor der Tür zum kaiserlichen Gemach liegt eine Wache am Boden!

Rasch ist Johanna bei dem Bewusstlosen. Neben ihm liegt ein Knüppel. Johanna erkennt blitzschnell: Die Wache wurde mit diesem Knüppel niedergeschlagen! Aber von wem? Und wo steckt der Täter? Da hat Johanna einen bösen Verdacht.

„Der Meisterdieb!", wispert sie atemlos. „Bestimmt ist er noch hier!"

„Was sagst du da um Himmels willen?", ruft ihr Vater. Er ist völlig durcheinander. „Wir müssen am besten gleich – nein, zuerst kümmere ich mich um die Wache!" Er kniet sich neben den Verletzten.

Johanna denkt scharf nach. Wenn der Meisterdieb noch in der Nähe ist, wo hat er sich dann versteckt? Eigentlich kann er nur in den kaiserlichen Gemächern sein.

Johanna bekommt große Angst. Ob sie
dennoch nachsehen soll? Einen Moment
ist sie unschlüssig. Aber die Neugier ist
größer als die Angst. Schon drückt sie die
Türklinke herunter. Ganz langsam, ganz
vorsichtig. Kein Quietschen soll sie
verraten. Jetzt steht die Tür offen – und
Johanna schlüpft hindurch …

Der falsche Mann

Ein großer Raum liegt vor Johanna. Ihre
Augen huschen von einer Ecke zur
anderen. Aber der Meisterdieb ist
nirgendwo. Johanna schaut über die
Schulter. Sie sieht ihren Vater. Er redet auf
den Verletzten ein. Aber der Mann rührt
sich nicht. Jetzt nimmt Hartwin den
Knüppel hoch und betrachtet ihn genauer.

In diesem Moment ertönt lautes Geschrei.
Bewaffnete Männer stürmen den Gang
entlang, genau auf Hartwin zu.
„Lass den Knüppel fallen!", brüllt einer der
Männer.
„Das ist der Meisterdieb! Jetzt haben wir
ihn endlich!", schreit ein anderer.
Johanna erschrickt. Das ist ein furchtbarer
Irrtum! Sie will ihrem Vater etwas zurufen,
aber ihr versagt die Stimme.
Und auch Hartwin scheint wie
gelähmt.
Noch immer hält er den
Knüppel in der Hand!
Johanna gerät in Panik.
Sie will nur noch
eins – sich verbergen
vor den Männern mit
den Waffen und den
wütenden Stimmen.

Ohne groß nachzudenken versteckt sich Johanna hinter einem Wandteppich. Hier ist es stockduster und stickig. Aber dafür ist Johanna unsichtbar für die Wachen, die jetzt bei ihrem Vater angelangt sind. Sie schließt die Augen, konzentriert sich nur auf ihr Gehör. Aber was sie da hört, macht ihr noch mehr Angst.

„Jetzt haben wir den Meisterdieb auf frischer Tat ertappt!", freut sich einer der Männer. „Und Diebesgut hat er auch noch bei sich. Hier in diesem Beutel!"

„Nein!", wehrt sich Hartwin. „Das sind Schmuckstücke, die ich selbst gefertigt habe. Ich wollte sie dem Kaiser zeigen!"

Ein Lachen ertönt. „Das kann ja jeder sagen! Gestohlen hast du die Sachen. Du hast die Wache niedergeschlagen und wolltest jetzt bestimmt noch mehr rauben. Aber damit ist es jetzt vorbei. Du wirst im

Kerker schmoren, elender Dieb! Wenn du Glück hast. Und wenn du Pech hast, wirst du zum Tode verurteilt!" Johanna hätte am liebsten geweint. Sie hat solche Angst um ihren Vater. Und sie ist wütend – weil sie völlig hilflos ist. Oder soll sie hinter dem Teppich hervorkommen? Und dann? Womöglich wird man auch sie verhaften. Wer glaubt schon einem jungen Mädchen? Johanna will hinter dem Teppich bleiben, bis die Luft rein ist. Dann wird sie hinausschleichen. Zu ihrer Mutter. Die weiß immer Rat.

„Gib zu, dass du der Meisterdieb bist!",
fordert jetzt einer der Männer von Hartwin.
„Aber nein!", ruft Hartwin außer sich. „Ich
bin der falsche Mann, ich schwöre es bei
Gott."
„Beschmutze nicht den Namen des
Herrn!", kommt die Antwort. „Aber wir
werden dich schon zum Reden bringen.

Das schwöre ich dir bei den Gebeinen des Heiligen Sebaldus! Und uns gebührt Ehre und Ruhm. Weil wir allein den Meisterdieb gefangen haben. Kaiser Barbarossa wird stolz auf uns sein!"

Die Stimmen werden leiser. Offenbar wird Hartwin abgeführt. Immer wieder beteuert er seine Unschuld. Kurz darauf ist Hartwin nicht mehr zu hören.

Nun erst wagt es Johanna, hinter dem Teppich hervorzuschauen. Sofort schreckt sie zurück. Eine der Wachen ist im Raum geblieben!

So ein Mist!, denkt Johanna. Was jetzt? Ihr wird klar, dass sie weiter hinter dem Teppich ausharren muss. Bis sie endlich allein ist. Die Minuten vergehen quälend langsam.

Schließlich kommen zwei weitere Männer und tragen den Bewusstlosen weg. Aber die eine Wache bleibt an ihrem Platz.

Was für ein Pech!, denkt Johanna verzweifelt. Heute hat sich wirklich alles gegen sie und ihren Vater verschworen.

Da werden Schritte laut. Johanna hält den Atem an. Die Schritte kommen genau auf sie zu!

Das ist das Ende, fürchtet Johanna. Auch sie wird im finsteren Kerker landen. Man wird sie für eine Komplizin des Meisterdiebs halten.

Johanna presst sich ganz flach an die Wand. Die Steine sind kalt und rau. Doch da ertasten ihre Finger noch etwas anderes – Holz …

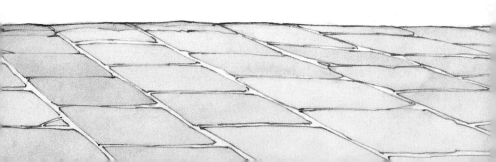

Die Schritte stoppen. Völlige Stille.
Johanna spürt einen Schweißtropfen auf
ihrer Stirn. Dann beginnt ihre Nase zu
kribbeln. Offenbar hat sie Staub
eingeatmet. Aber wenn sie jetzt niesen
muss, ist alles zu spät!

Ein Pfeifen erklingt. Dann
dröhnen wieder Schritte
über den Boden. Johanna
atmet auf. Der Mann
scheint sich zu
entfernen.

Johanna riskiert erneut
einen heimlichen
Blick hinter dem Teppich
hervor. Die Wache steht
an der Tür und bewegt
sich keinen Millimeter.
Johanna hat keine
Chance zu entwischen.

Jedenfalls nicht durch diese Tür. Doch was hatten ihre Finger gerade gespürt – Holz?

Johanna tastet die Wand hinter dem Teppich ab. Und plötzlich geht der Stein in Holz über. Vorsichtig wandern Johannas Finger über die glatte Fläche, bis sie auf kühles Metall stößt. Ihre Finger erkunden den Gegenstand. Und sehr schnell weiß Johanna, dass es sich um eine Klinke handelt.

Eine Geheimtür, durchfährt es Johanna.
Ich habe eine Geheimtür entdeckt!
Sie probiert die Tür aus und stellt fest,
dass sie nicht verschlossen ist. Dahinter
liegt ein Raum, pechschwarz wie eine
mondlose Nacht. Johanna ist erleichtert.
Jetzt kann sie bestimmt unerkannt
entkommen! Aber dann mischt sich noch
ein anderes Gefühl in die Erleichterung:
Angst. Denn Johanna ahnt, dass auch der
Meisterdieb diesen Weg wählte. Was ist,
wenn der Meisterdieb in dem dunklen
Raum lauert?

Der geheime Raum

Johanna zögert. Ihre Gedanken rasen wie
wild. Konnte der Meisterdieb immer
entkommen, weil er diesen geheimen Weg
benutzte?
So wird es gewesen sein, glaubt Johanna.
Ihr Herzschlag dröhnt in ihren Ohren. Sie
ist dem Meisterdieb ganz dicht auf den
Fersen!
Johanna unterdrückt ihre Aufregung. Sie
versucht ruhig zu werden und klar zu
denken. Jetzt zählt erst einmal nur eins:

Sie muss hier raus. Nach Hause zu ihrer
Mutter. Ihr Vater sitzt vermutlich schon im
Kerker und braucht Hilfe.

Johanna muss also durch diesen finsteren
Raum. Vorsichtig tastet sie sich vorwärts.
Vollkommene Dunkelheit umgibt sie.
Johanna streckt die Arme aus, um nicht
gegen irgendetwas zu stoßen. Langsam
dringt sie in die Kammer ein. Plötzlich
huscht etwas über ihre Füße! Etwas
Kleines, Pelziges. Johanna gefriert das

Blut in den Adern. Sie beißt sich auf die
Unterlippe. Sie darf nicht schreien – nicht
hier, nicht jetzt!

Das war bestimmt nur eine Maus, denkt
Johanna.

Und vor Mäusen hat sie sich noch nie
gefürchtet. Allmählich beruhigt sich
Johanna wieder.

Sie geht weiter. Nach ein paar Schritten
berühren ihre Hände wieder etwas aus
Holz. Wahrscheinlich ist es ein Regal,

vermutet sie in der Finsternis. Neugierig greift Johanna hinein – und fährt augenblicklich zurück. Ihre Finger haben sich in etwas verfangen, was zäh und klebrig ist: Spinnweben! Angewidert zieht Johanna die Hand zurück. Was ist das nur für ein seltsamer Raum?

Vielleicht eine Abstellkammer oder so etwas, denkt Johanna. Eine Kammer, die kaum noch benutzt wird. Sonst wäre sie nicht so schmutzig.

Plötzlich fällt ein schmaler Streifen Licht in den Raum und wird rasch breiter. Jemand hat gerade die Kammer betreten! In letzter Sekunde kann sich Johanna hinter einem Fass verstecken.

Warm und golden wandert der Lichtschein durch den Raum. Johanna macht sich klein, winzig klein. Sie hat panische Angst. Und wieder muss sie den unbändigen Wunsch unterdrücken, zu schreien. Sie presst die Lippen zusammen und beginnt zu beten. Man darf sie nicht entdecken!

Jetzt bewegt sich der Lichtschein nicht mehr.

Johanna riskiert einen Blick. Sie sieht einen großen Mann mit breiten Schultern, der ihr den Rücken zuwendet.

Der Mann macht sich gerade an einem Sack zu schaffen, der in der hinteren Ecke der Kammer liegt. Er greift hinein und einen Augenblick später hält er einen wünderschönen silbernen Kerzenständer in den Händen.

Das muss der gestohlene Kerzenständer sein!, durchfährt es Johanna. Ihr Vater hat doch davon erzählt, bevor sie zur Burg aufbrachen. Und jetzt gibt es für Johanna keinen Zweifel mehr: Dieser Mann ist der Meisterdieb von Nürnberg!

Der Mann dreht und wendet den Ständer im Kerzenlicht. Nun ist sein kantiges Gesicht deutlich von der Seite zu sehen.

Es wirkt wie das Gesicht eines großen
Raubvogels.

„Wahrlich, du bist ein schönes Stück", sagt
der Meisterdieb leise zum Kerzenständer.
Ein Lächeln erscheint auf seinem Gesicht.

Ein feines, höhnisches Lächeln. Zärtlich streichen die Finger des Diebes über das glänzende Silber.

„Du bist wirklich schön. Aber es gibt noch schönere Dinge hier auf der Burg", sagt der Meisterdieb mit singendem Tonfall.

„Und bald werden auch sie mir gehören. Nur mir allein."

Der Meisterdieb lacht.

In Johannas Ohren klingt dieses Lachen unheimlich. Es ist kein fröhliches Lachen. Es ist rau und böse.

Johanna beginnt zu zittern. Was hat der

Meisterdieb denn noch vor? Gebannt lauscht Johanna dem Selbstgespräch.

Der Mann lässt den Kerzenständer zurück in den Sack gleiten. „Wir sehen uns nachher wieder", sagt der Meisterdieb wie zu einem guten Freund. „Wenn die Luft rein ist und ich dich ungestört mitnehmen kann." Der Mann streckt sich. Seine Gelenke knacken.

„Aber vorher habe ich noch etwas zu erledigen", sagt er und schaut zufällig in die Richtung des Fasses, hinter dem Johanna kauert. Blitzschnell kann sich Johanna verbergen.

„Die goldene Kette des Kaisers!", zischt der Mann. „Heute Nacht werde ich sie mir holen. Um Mitternacht! Und diesmal wird mich niemand aufhalten. Das wird mein Meisterstück! Eine Tat, die einzig nur mir gelingen kann! Denn ich bin der Beste."

Noch einmal ertönt dieses unheimliche
Lachen. Johanna bekommt eine
Gänsehaut.

Der Meisterdieb schiebt den Sack mit dem
Kerzenständer zurück in die Ecke. Dann
legt er einen anderen
Sack darüber. Schließlich
nimmt er die Kerze und
verlässt die Kammer.

Wieder senkt sich völlige Finsternis über
den Raum. Zitternd kommt Johanna hinter
dem Fass hervor. Sie hat den Meisterdieb
gesehen. Er war zum Greifen nah. Der
Mann, den ganz Nürnberg jagt! Johanna
schüttelt den Kopf.

Was soll sie jetzt tun? Gut, sie könnte laut um Hilfe rufen. Zu riskant! Denn vielleicht würde sie der Meisterdieb hören. Und was würde der Kerl tun? Keine Frage, er würde versuchen Johanna zu beseitigen.

Aber sie kann den Dieb doch nicht so einfach laufen lassen. Sie muss doch irgendetwas unternehmen!

Und vor allem muss sie ihrem Vater helfen! Also wird Johanna aus der Kammer schleichen und zu ihrer Mutter gehen. Das scheint Johanna noch die beste Lösung zu sein.

Plötzlich hat Johanna eine andere Idee. Und diese Idee ist so kühn, dass Johanna abwechselnd heiß und kalt wird. Je länger sie grübelt, desto besser findet sie ihren Plan. Denn jetzt weiß Johanna, wie sie ihren Vater retten kann – und gleichzeitig dem Meisterdieb eine Falle stellt!

Die Falle schnappt zu

Johanna muss warten. Stunde um Stunde in einer dunklen Rumpelkammer. Kein tröstendes Licht. Niemand, der mit ihr spricht. Noch nie hat sich Johanna so furchtbar allein gefühlt. Aber sie muss bis um Mitternacht ausharren. Dann will der Meisterdieb wieder zuschlagen. Diesmal wird er allerdings eine Überraschung erleben. Das hofft Johanna jedenfalls. Das ist ihr Plan!
Sie hat sich hinter einem niedrigen Regal auf einen groben Sack gehockt. Mit dem Rücken lehnt Johanna an der kalten

Mauer. Manchmal hört sie Stimmen, weit entfernt. Die Rumpelkammer scheint wirklich niemand mehr zu nutzen. Fast niemand. Der Meisterdieb! Johanna glaubt sein unheimliches Lachen zu hören. Sie hält sich die Ohren zu. Und bald, bald wird der Meisterdieb kommen. Hier hinein in diesen Raum. Und Johanna wird ihn verfolgen …

Der Gedanke lässt Johanna frösteln. Sie schlingt die Arme um die angezogenen Knie. Sie versucht an etwas Schönes zu denken, an etwas Fröhliches. Da fällt Johanna ihre Mutter ein. Die Mutter ist immer fröhlich. Sie lacht viel und gern, auch wenn Vaters Geschäfte mal wieder schlecht laufen. Aber jetzt? Wie geht es ihr? Bestimmt ist ihre Mutter halb verrückt vor Sorge. Ihr Mann und ihre Tochter sind verschwunden … Vielleicht weiß sie schon, dass Hartwin im Kerker ist. Johanna bekommt ein schlechtes Gewissen. Wäre es doch besser gewesen, nach Hause zu gehen?

Wohl nicht, sagt Johanna sich. Jetzt gibt es kein Zurück mehr. Ihr Plan ist gefährlich, bestimmt sogar sehr gefährlich. Aber Johanna will es wagen. Sie lehnt den Kopf zurück und schließt die Augen.

Irgendwann döst Johanna ein.

Dann wird es Mitternacht. Aber Johanna schläft …

Mit einem feinen Quietschen schwingt die Tür zum geheimen Raum auf. Licht fällt in die Kammer und kriecht auf Johanna zu. Da schreckt sie hoch. Augenblicklich lässt sie sich hinter dem Regal auf den Boden sinken. Gerade rechtzeitig, denn der Meisterdieb geht ganz nah an ihr vorbei, eine Kerze in der Hand. Aber er sieht Johanna nicht. Leise durchquert er den Raum und erreicht die Geheimtür. Die Tür zu den kaiserlichen Gemächern! Der

Meisterdieb bläst die Kerze aus. Dann ist er verschwunden.

Johanna nimmt ihren ganzen Mut zusammen. Auf Zehenspitzen läuft sie dem Meisterdieb hinterher. Nun gelangt auch sie zur Geheimtür. Dort bleibt Johanna einen Moment stehen. Sie zählt leise bis zehn. Dann schlüpft sie durch die Tür. Hinter dem Teppich schiebt sie sich ein paar Meter an der Wand entlang. Nun hat sie den Saum des Teppichs erreicht. Johanna späht dahinter hervor.

Im Mondlicht sieht sie eine Gestalt auf
das große Bett zuschleichen. Es ist der
Meisterdieb! Vom Bett ertönt lautes
Schnarchen. Jetzt hat der Meisterdieb das
Bett erreicht. Schon streckt er die Hand
aus – nach etwas, was verführerisch im
Mondlicht funkelt.

Auf diesen Moment hat Johanna gewartet.
Mit wenigen Sätzen ist sie bei der
Geheimtür und schlägt sie mit voller
Wucht zu. Es kracht fürchterlich, es klingt
wie ein gewaltiger Donnerschlag! Schreie

werden laut. Johanna springt hinter dem
Teppich hervor. Der Meisterdieb flitzt
genau auf Johanna zu. Direkt hinter ihm
ist der Kaiser, der plötzlich hellwach ist. Er
trägt ein langes, weißes Nachthemd und
sieht aus wie ein Gespenst mit rotem Bart.

„Na warte!", brüllt Kaiser Barbarossa,
„dich hab ich gleich!"
Johanna presst sich an die Wand. Der
Dieb saust an ihr vorbei. Da stellt
Johanna ihm ein Bein. Der Meisterdieb

stolpert, stößt einen Fluch aus, rappelt
sich hoch und rennt weiter. Der Kaiser ist
ihm dicht auf den Fersen. Auch Johanna
nimmt die Verfolgung auf. Der Dieb darf
nicht entkommen! Jetzt stürmt der
Meisterdieb die Treppe zum Rittersaal
hinunter. Er läuft an den dösenden
Wachen vorbei auf den Burghof.
Der Kaiser schnauzt die Wachen an:
„Ergreift den Kerl, ihr Schlafmützen!"
„Jawoll!", brüllen die Wachen verdattert.
Wieselflink überquert der Dieb den
Burghof. Johanna gerät allmählich aus
der Puste. Aber sie gibt nicht auf. Auch
der Kaiser, barfuß und mit fliegendem
rotem Bart, rennt unverdrossen weiter.
Jetzt saust der Meisterdieb ausgerechnet
in die Kemenate! Die Burgfräulein
kreischen um die Wette, als nacheinander
der Dieb, der Kaiser, Johanna und

schließlich die Wachen durch ihre Schlafräume poltern.

„Zu Hilfe, ein Überfall!", plärrt eine der vornehmen Damen und zieht die Bettdecke bis ans Kinn.

„Ich bin ja schon da!", keucht Kaiser Barbarossa.

Der Meisterdieb erreicht das Fenster, will es aufmachen. Da macht der Kaiser einen weiten Satz und packt den Dieb.

Barbarossa ringt ihn nieder und nimmt ihn in den Schwitzkasten.

„Ich sagte dir doch, dass ich dich gleich habe!", knurrt der Kaiser. Der Dieb strampelt verzweifelt, aber der Kaiser ist zu stark.

Nun sind auch die Wachen da. Sie stürzen sich auf den Dieb und fesseln ihn. Als sie sehen, wen sie vor sich haben, staunen sie. Offenbar kennen sie ihn.

„So, das wäre erledigt", sagt der Kaiser zufrieden. Dann fällt sein Blick auf Johanna. „Aber wer bist denn du?" Johanna fühlt sich unendlich klein. Demütig kniet sie vor dem Kaiser nieder. „Verzeiht mir, dass ich vorhin in Euer Schlafgemach eindrang", sagt sie schüchtern. Und dann erzählt sie dem Kaiser ihre aufregende Geschichte. Sie berichtet, wie ihr Vater verhaftet wurde, wie sie den geheimen Raum und schließlich den Meisterdieb entdeckte. Der Kaiser bläst die Backen auf, als Johanna geendet hat.

„Du bist wirklich ein sehr mutiges Mädchen", lobt er. „Und ich glaube dir. Denn der Beweis für deine Geschichte steht ja vor mir!" Er deutet dabei auf den Meisterdieb. Nun wird Kaiser Barbarossas Stimme gefährlich leise. „Damit wären wir wieder bei dir, Schurke. Gestehe: Du bist der Meisterdieb von Nürnberg, oder?"

Ein Lächeln huscht über das Gesicht des Diebes. Ein Anflug von Stolz. „Ja, der bin ich", sagt er. „Und wenn das Mädchen nicht gewesen wäre, dann wäre ich jetzt ein reicher Mann."

Kaiser Barbarossa macht einen Schritt auf den Dieb zu. „Wie bist du überhaupt in die Burg gekommen?", fragt er wütend.

„Ich arbeite schon seit Jahren hier", sagt der Meisterdieb. „Ich bin nur ein einfacher Diener. Mal helfe ich in den Ställen, mal in der Küche, mal putze ich Eure Gemächer."

„Das stimmt", sagt eine der Wachen. „Wir
kennen den Kerl!"

„Die Arbeit ist hart und schlecht bezahlt",
fährt der Meisterdieb fort. „Aber eines
Tages entdeckte ich diese Tür. Die wird
schon lange nicht mehr benutzt. Tja, und
da hat wohl irgendwann mal jemand den
Teppich darüber gehängt. Und hinter der
Tür befindet sich eine Kammer. Liegt nur
Gerümpel drin."

Johanna schüttelt den Kopf. „Stimmt nicht", widerspricht sie. „Du hast dort den kostbaren Kerzenständer versteckt!"

„Ja, ja, schon gut", meint der Meisterdieb ärgerlich. „Jedenfalls wird diese Kammer kaum benutzt."

„Und durch die Tür hinter dem Teppich konntest du immer entkommen, nachdem du etwas gestohlen hattest", ahnt Kaiser Barbarossa. „Das Diebesgut hast du dann in der Kammer versteckt."

Der Meisterdieb nickt. „Aber gestern Abend ging alles schief. Ich war schon in Euren Gemächern. Doch da stieß ich unvorsichtigerweise gegen das Bett. Es polterte, eine Wache kam herein und ich schlug sie nieder. Und es wurde noch schlimmer. Das Mädchen da und ihr Vater tauchten plötzlich auf. Im letzten Moment konnte ich entkommen. Ich beschloss

jedoch, heute Nacht einen zweiten
Versuch zu unternehmen. Hätte ich es
doch gelassen!"
Der Kaiser lacht dröhnend. „Deine Gier
war zu groß. Und jetzt haben wir dich!
Dank der mutigen Johanna!" Der Kaiser
streicht dem Mädchen über den Kopf.
Johanna wird feuerrot.

Nun wendet sich Kaiser Barbarossa an die Wachen. „Lasst sofort Hartwin frei. Bringt ihn sogleich zu mir!", befiehlt er. Einer der Männer verschwindet. Die anderen beiden passen weiter auf den Meisterdieb auf.

Johanna atmet tief durch. Endlich kommt ihr Vater frei! Sie könnte gleichzeitig weinen und lachen.

„Und du, meine kleine, große Heldin", sagt Kaiser Barbarossa sanft zu Johanna. „Du hast natürlich einen Wunsch frei!"

Da braucht Johanna nicht lange zu überlegen. „Mein Vater wollte Euch die schönsten Schmuckstücke aus seiner Werkstatt zeigen. Er hofft, dass sie Euch gefallen." Sie schaut verlegen zu Boden. „Na ja, und mein Vater hofft außerdem, dass Ihr vielleicht einen Auftrag für ihn habt …"

„Hat dein Vater die Schmuckstücke bei sich?", fragt Kaiser Barbarossa.

„Nein", mischt sich eine der Wachen ein. „Ich habe sie ihm abgenommen. Ich dachte, es wäre Diebesgut." Eilig wird der Beutel herbeigebracht und dem Kaiser übergeben, der ihn neugierig öffnet. Barbarossas Augen weiten sich. „Was für wunderschöne Schmuckstücke!", ruft der Kaiser begeistert. „Auf der Stelle werde ich deinem Vater einen Großauftrag erteilen, Johanna! Aber was sage ich da – er soll nur noch für mich arbeiten!"

In diesem Moment ist Johanna bestimmt das glücklichste Mädchen in ganz Nürnberg.

Auf dem Gang der Kemenate werden Rufe laut. Johanna erkennt die Stimme ihres Vaters. Sofort läuft sie ihm entgegen und fällt ihm in die Arme.

„Da bist du ja!", ruft Hartwin erleichtert.
„Wo hast du nur gesteckt, meine Kleine?"
„Ich?", lacht Johanna. „Ich habe dem
Kaiser meine Aufwartung gemacht! Aber
jetzt will er dich sehen, Vater. Dich und
deine Schmuckstücke!"

Fabian Lenk, geboren 1963, lebt mit seiner Frau und seinem Sohn in der Nähe von Bremen und ist leitender Redakteur einer Tageszeitung. 1996 erschien sein erster Kriminalroman für Erwachsene, dem fünf weitere folgten. Inzwischen schreibt er überwiegend für Kinder und Jugendliche und hat zahlreiche historische Romane, Mitrategeschichten und Krimis veröffentlicht.

Daniel Sohr wurde 1973 in Tübingen geboren. Er studierte Grafik Design mit Schwerpunkt Illustration in Wiesbaden und Münster, bevor er 2000 nach Berlin zog, um dort als freier Illustrator zu arbeiten. Mittlerweile sind von Daniel Sohr zahlreiche Kinderbücher bei verschiedenen Verlagen erschienen.

Leserätsel
mit dem Leseraben

Super, du hast das ganze Buch geschafft!
Hast du die Geschichte ganz genau gelesen?
Der Leserabe hat sich ein paar spannende
Rätsel für echte Lese-Detektive ausgedacht.
Mal sehen, ob du die Fragen beantworten
kannst. Wenn nicht, lies einfach noch mal
auf den Seiten nach. Wenn du die richtigen
Antwortbuchstaben in die Kästchen auf Seite 58
eingesetzt hast, bekommst du das Lösungswort.

Fragen zur Geschichte

1. Wo wohnen die Burgfräulein? (Seite 11)
    D: Sie wohnen in den Kemenaten
       im Palast.
    R: Sie leben in den Turmzimmern.

2. Was hat Hartwin in seinem Beutel?
    (Seite 11)
    O: Er trägt wertvolles Diebesgut bei sich.
    I: Er hat selbst gefertigte Schmuckstücke
       dabei.

3. Was befindet sich in dem Regal der geheimen Kammer? (Seite 30)

T: Ein silberner Kerzenständer.

E: Zähe und klebrige Spinnweben.

4. Was will der Dieb als Nächstes stehlen? (Seite 35)

S: Die goldene Kette des Kaisers.

L: Kaiser Barbarossas goldenen Siegelring.

5. Wer rennt alles durch die Kemenaten? (Seite 45–47)

P: Der Dieb, der Kaiser, Johanna und die Burgfräulein.

G: Der Dieb, der Kaiser, Johanna und die Wachen.

6. Wie ist der Meisterdieb in die Burg gekommen? (Seite 49)

E : Er ist über die Burgmauer geklettert.

U : Er arbeitet seit Jahren als einfacher Diener in der Burg.

Lösungswort:

1	2	3	B	E	4	5	6	T

Rabenpost

Super, alles richtig gemacht! Jetzt wird es Zeit
für die RABENPOST.
Schicke dem LESERABEN einfach eine Karte
mit dem richtigen Lösungswort. Oder schreib
eine E-Mail.
Wir verlosen jeden Monat 10 Buchpakete unter
den Einsendern!

An den LESERABEN
RABENPOST
Postfach 20 07
88 190 Ravensburg
Deutschland

leserabe@ravensburger.de
Besuche mich doch auf meiner Webseite:
www.leserabe.de

**Vom Leseanfänger
zum Leseprofi
in 3 Schritten**

www.leserabe.de

Ravensburger Materialien zur Unterrichtspraxis

- handlungsbezogen
- produktionsorientiert
- fächerverbindend

Ravensburger Materialien zur Unterrichtspraxis – früher unter dem Namen Ravensburger Arbeitshilfen – werden seit 1987 zu ausgewählten Kinder- und Jugendbüchern des Verlages hergestellt. Das Angebot umfasst derzeit über fünfzig Titel und wird ständig erweitert.

Ravensburger Materialien zur Unterrichtspraxis sind eine wertvolle Hilfe zur Unterrichtsvorbereitung – sowohl im Fach Deutsch als auch in benachbarten Fächern wie Religion, Ethik, Geschichte oder Sozialkunde. Nutzen Sie die vielen Pluspunkte der Ravensburger Materialien zur Unterrichtspraxis:

- von LehrerInnen für LehrerInnen entwickelt
- im Unterricht erprobt
- orientiert an den Lehrplänen der Länder
- mit Kopiervorlagen für Arbeitsblätter
- interessante Begleitmaterialien wie Lesehefte oder Spielpläne

Ravensburger Materialien zur Unterrichtspraxis tragen durch einen vielseitig-kreativen Umgang mit Büchern dazu bei, die Lust am Lesen frühzeitig anzuregen, zu fördern und zu verstärken.

Nutzen Sie die Möglichkeit des kostenlosen Downloads unter unserer Internetadresse **www.ravensburger.de** oder bestellen Sie die Materialien über den Buchhandel zum Preis von 4,95 €.

Ravensburger Buchverlag
Pädagogische Arbeitsstelle
Postfach 1860

88188 Ravensburg